Souvenir de la confir-
mation de Justine en
l'Église. 1997 de C. Simard

D0582167

Jean-Pierre Rosa • Sylvie Montmoulineix

LA GRANDE AVENTURE DES CHRÉTIENS

BAYARD ÉDITIONS / CENTURION

Sommaire

L'histoire des chrétiens

Tu connais sans doute un peu l'histoire de Jésus et tu sais que les chrétiens croient en lui. Sais-tu que pendant deux mille ans des générations de chrétiens ont prié Jésus ? Parfois, ils lui ont même sacrifié leur vie pour lui rester fidèles, et pour que leurs enfants puissent un jour l'aimer et le célébrer.

L'histoire des chrétiens est une aventure immense. Ils n'ont pas laissé seulement des églises derrière eux. Ils ont été parmi les premiers à parler des droits de l'homme. Et aujourd'hui encore, ils sont toujours présents quand il s'agit d'améliorer la vie des hommes.

Les tout premiers temps

Des amis heureux...
et tristes

En ce 7 avril de l'an 30, lors de la Pâque juive, Jésus est condamné. Des chefs du peuple juif ont fini par obtenir ce qu'ils voulaient : sa mort. Lui qui avait donné tant d'espoir à tous, il les dérangeait trop : il attirait les foules à lui et accusait les chefs d'être des hypocrites, des profiteurs, des menteurs.

Jésus est mort crucifié. Pourtant, trois jours après le drame, ses amis le rencontrent. Jésus leur parle, il partage même un repas avec eux : il est vivant ! C'est Pâques ! Ses douze compagnons — ses apôtres — et tous ses disciples savent qu'il est ressuscité, vivant pour toujours. Avant de repartir auprès de Dieu son Père, il leur donne une mission : dire au monde entier que la mort a été vaincue.

Mais les apôtres ne sont pas encore prêts à annoncer partout la bonne nouvelle. Ils restent dans l'attente. Ce sont des gens simples, pas des héros, en tout cas pas encore.

Le jour
de la Pentecôte

Cinquante jours plus tard, les douze apôtres sont réunis dans une maison appelée le Cénacle. Or, ce matin-là, un événement extraordinaire se produit. Un coup de vent violent secoue les portes et les fenêtres. On dirait qu'un grand feu s'allume dans le cœur des Douze. Ils reçoivent le courage d'annoncer à tous la grande nouvelle de la résurrection de Jésus. Aussitôt ils racontent partout ce qui est arrivé à Jésus. Ils l'ont vu vivant ! Il est ressuscité !

Ce jour-là, jour de la Pentecôte, les Douze ont la certitude que l'Esprit de Dieu, l'Esprit saint, est descendu du Ciel. Il va les aider à répandre cette « bonne nouvelle » : Jésus est vivant, la vie est plus forte que la mort.

Les premiers croyants

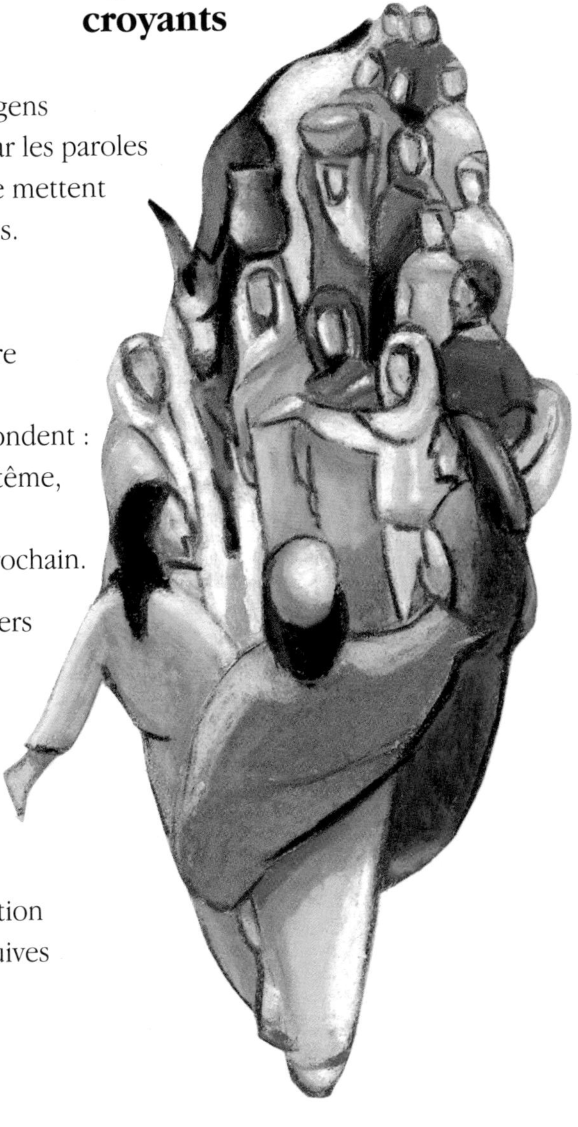

Beaucoup de gens
sont touchés par les paroles
des Douze et se mettent
à croire en Jésus.
Ils demandent
aux apôtres :
« Que faut-il faire
maintenant ? »
Les Douze répondent :
recevoir le baptême,
croire en Jésus
et aimer son prochain.

Ces tout premiers
croyants sont
les premiers
chrétiens.
Mais leur
petit groupe
commence
à attirer l'attention
des autorités juives
et romaines.

La conversion d'un opposant

Parmi ceux qui écoutent les Douze, tous ne sont pas convaincus. Certains s'opposent aux chrétiens et les dénoncent aux chefs du peuple juif et aux Romains.

Saul est un juif d'Asie qui fait partie de ces opposants. Il est persuadé de faire le bien. Un jour, alors qu'il se rend à Damas, en Syrie, pour y rechercher des chrétiens, il est renversé par une force surnaturelle. Il entend une voix lui dire : « Saul, Saul, pourquoi me persécutes-tu ? »

Saul demande alors : « Qui es-tu, Seigneur ? » Et la voix lui répond : « Je suis Jésus que tu persécutes. »

Cette rencontre bouleverse Saul. Il demande à être baptisé. Il passe le reste de sa vie à annoncer la Bonne Nouvelle d'un bout à l'autre de l'Empire romain. Désormais on l'appelle Paul. Il crée des communautés chrétiennes et leur écrit de nombreuses lettres. Certaines ont été précieusement conservées : on les lit encore à la messe. Ce sont les épîtres.

La conquête chrétienne

La naissance
de la religion chrétienne

Jésus était juif, les apôtres et les disciples étaient juifs. Ils s'adressaient à des juifs, et les nouveaux croyants étaient juifs. Mais, petit à petit, il se passe une chose très curieuse : des non-juifs rejoignent le groupe des croyants. Et cela pose un problème imprévu : s'ils croient en Jésus, doit-on leur demander de devenir juifs ? Doivent-ils respecter toutes les coutumes de la religion juive ?

Alors les apôtres et Paul se réunissent tous ensemble à Jérusalem et prennent une décision très importante : ils reconnaissent qu'on peut croire en Jésus et faire partie de la nouvelle communauté sans se convertir d'abord au judaïsme. La religion chrétienne est née.

Les ennemis des chrétiens

Les chefs du peuple juif refusent de reconnaître Jésus comme le Fils de Dieu. Pour eux, il a été le chef d'une secte et a mérité d'être condamné. De leur côté, les Romains obligent tous les peuples conquis à adorer l'empereur comme un dieu. Or, les chrétiens ne peuvent faire confiance à un autre que Jésus.

Les chrétiens sont dénoncés, poursuivis, torturés, souvent jusqu'à la mort. Malgré les persécutions, la nouvelle religion se répand rapidement.

Les premiers textes

À la fin du Iᵉʳ siècle, quatre disciples, Matthieu, Marc, Luc et Jean, écrivent l'histoire de Jésus. On appelle ces récits les évangiles, ce qui veut dire « bonne nouvelle » en grec. On recueille aussi les lettres de Paul et celles d'autres disciples.

Pierre est reconnu dès le début comme le chef des chrétiens. C'est le premier pape. Pierre et Paul meurent dans la première grande persécution lancée par un empereur romain, Néron. Cela se passe à Rome, en l'an 64.

Les persécutions

Pendant les deux siècles qui suivent, les chrétiens sont de plus en plus nombreux. Et ils sont régulièrement mis à mort lors des jeux du cirque. Ces premières victimes sont appelées les martyrs, d'un mot grec qui signifie « témoin ».

À Lyon, Blandine est livrée aux fauves. C'est une jeune fille pleine de courage et de foi ; elle donne la force d'affronter la mort à ceux qui ont peur.

À Lutèce, Toulouse, Carthage, les mêmes scènes se répètent.

La dernière grande persécution des chrétiens a lieu au début du IVᵉ siècle. Mais il y a déjà des chrétiens partout en Europe : des esclaves et des hommes libres, des militaires et même des amis de l'empereur. En trois cents ans, le message de Jésus a conquis l'Empire romain. Sans armes et sans publicité ! L'empire va désormais devenir chrétien.

L'empire
devient chrétien

L'empereur Constantin arrête définitivement les persécutions par un décret en 313. La situation des chrétiens change complètement. La nouvelle religion, jusqu'alors persécutée, devient très vite la religion officielle de tout l'empire.

La capitale de l'empire, Rome, devient la capitale des chrétiens. On bâtit de grands édifices pour célébrer le culte nouveau. D'importantes réunions des dirigeants de l'Église, les évêques, ont lieu pour définir la foi chrétienne. Ce sont les premiers conciles.

L'Église s'établit

L' Église au secours de l'Empire romain

Au IVe siècle, l'Empire romain se décompose. Peu à peu, les évêques rendent un certain nombre de services que l'administration romaine n'arrive plus à assurer : faire respecter les lois, venir en aide aux pauvres, protéger les plus faibles, assurer l'ordre public.

Ainsi, Nicolas, évêque de la ville italienne de Bari, soutient tous les pauvres. Il protège les jeunes filles seules ou abandonnées, il empêche que les enfants soient vendus comme esclaves aux étrangers. Aujourd'hui encore, dans certaines régions, c'est saint Nicolas le protecteur des enfants que l'on fête sous les traits du père Noël.

Saint Martin de Tours, moine et évêque

Martin vit au IVe siècle. C'est un officier romain. Comme beaucoup, il a entendu parler de Jésus et du christanisme. Un jour, il rencontre un pauvre presque mort de froid. Sans hésiter, il coupe sa tunique en deux et en donne la moitié à cet homme. Plus tard, après avoir été baptisé, il se retire avec quelques amis près de Tours pour prier Dieu dans la solitude : le premier monastère d'Europe occidentale est né.

À Tours, on connaît bien Martin. Il est sage et bon. Certains racontent même qu'il peut accomplir des guérisons. On le fait évêque. Il partage donc sa vie entre sa prière de moine et sa lourde charge d'évêque. À l'époque, un évêque doit rendre la justice, faire respecter l'ordre, venir au secours des pauvres, prêcher l'Évangile, bâtir la communauté chrétienne. Après la mort de Martin, on vient en pèlerinage de toute l'Europe jusqu'à Tours.

Un grand penseur,
saint Augustin

Augustin, évêque d'Hippone, près de Tunis, s'est converti au christianisme après une jeunesse agitée. Il raconte dans son livre *Les Confessions* comment il a rencontré Dieu en cherchant le chemin de la sagesse et de la vérité. Augustin, comme Martin, est évêque. Et comme Martin, il a besoin d'une communauté fervente pour trouver la force de remplir sa lourde tâche.

Augustin vit un moment important de l'histoire du monde : la chute de Rome et la fin de l'Empire romain envahi par les Barbares (en 410). Rome était devenue le centre de la vie chrétienne. L'empire avait permis au christianisme de se répandre. Désormais, comment l'Église va-t-elle vivre ?

Augustin a beaucoup réfléchi, enseigné, prié et écrit. Pendant des siècles, on se tournera vers ses écrits pour résoudre de nombreuses questions.

Il est un des plus grands penseurs des premiers siècles,
un de ces auteurs que l'on appelle les « Pères de l'Église ».

La conversion
de l'Europe

Au Ve siècle, des peuples venus du Nord et de l'Est envahissent peu à peu l'Empire romain. Ils deviennent les nouveaux maîtres de l'Europe. Ils sont complètement différents des Romains, qui les appellent les Barbares.

Les temps ne sont pas sûrs. Les guerres n'en finissent pas entre rois, princes et seigneurs, les villages sont à la merci des pillards et les brigands terrorisent les voyageurs.

L'Europe aurait pu adopter les dieux et les croyances de ces envahisseurs. Et la grande aventure chrétienne aurait pu s'arrêter là.

Pourtant, du Ve au Xe siècle, les chefs et rois barbares se convertissent peu à peu à la religion de l'empire vaincu. En 496, c'est le baptême de Clovis, roi des Francs ; en 988, celui de Vladimir, prince de la Russie.

Puis vient le temps des rois très chrétiens, du Xe au XIIIe siècle. Certains sont même proclamés saints, comme saint Louis en France ou saint Étienne en Hongrie.

Le triomphe et les déchirures

Le temps des moines

Au VIe siècle, saint Benoît a défini pour les moines une manière de vivre qui sera peu à peu adoptée partout. Les moines prient, travaillent, lisent la Parole de Dieu dans la Bible, l'étudient et la recopient, car il n'y a pas encore d'imprimerie. Ils deviennent ainsi grâce à leur savoir les maîtres d'école de l'Europe entière.

Les moines partent vivre au cœur de grandes forêts pour être loin de tout. Là, ils défrichent de vastes étendues où ils cultivent tout ce qui leur est nécessaire pour vivre.

Du IXe au XIIe siècle, de très nombreux monastères sont construits en Europe. Ces édifices où vivent les moines deviennent de véritables places fortes.

Peu à peu, des paysans imitent les moines. Ils défrichent les forêts et créent des régions entières qui échappent au pouvoir des seigneurs. Comme les moines qui élisent tous ensemble le Père Abbé du monastère, ces paysans élisent les chefs des villages qu'ils viennent de créer. Ces premières élections libres sont le début de la démocratie dans nos pays.

La grande rupture

Mais cette belle époque du christianisme connaît un épisode dramatique : la séparation entre l'Occident et l'Orient, entre les chrétiens qui dépendent de Rome (en Occident) et ceux qui dépendent de Byzance (en Orient). Les chrétiens d'Orient ne veulent pas reconnaître l'autorité suprême du pape qui vit loin d'eux, à Rome. Et ils ne sont pas d'accord avec les chrétiens d'Occident sur certains mots de la foi. Chacun pense avoir raison et reste sur ses positions.

En 1054, c'est la grande rupture, que l'on appelle le schisme. On a désormais les orthodoxes en Orient qui pensent détenir la « vraie doctrine » — c'est le sens du mot « orthodoxe » — et les catholiques en Occident qui pensent représenter, avec le pape à leur tête, l'Église « universelle » — c'est le sens du mot « catholique ».

Une grande richesse
et
une grande pauvreté

Au fil des siècles, le pape et les évêques ont de plus en plus de pouvoir. Ils ne sont plus du côté des pauvres mais des puissants. Ils ne se font plus obéir à cause de leur savoir mais de leur pouvoir. Ils ne savent plus annoncer la Bonne Nouvelle. Et surtout, ils sont devenus terriblement riches !

En Italie, dans la ville d'Assise, au tout début du XIIIe siècle, un jeune homme, François, se rend compte que les chrétiens sont bien loin de l'Évangile. Il veut revenir à la simplicité et à la pauvreté de Jésus et des premiers chrétiens. Il abandonne tout et vit comme un mendiant. Il va vers les pauvres et les exclus, comme Jésus l'avait fait. Petit à petit, beaucoup le suivent : ils formeront la grande famille des franciscains, les « frères mendiants ».
François apporte une véritable révolution dans l'Église de cette époque.

En Espagne, saint Dominique fait la même découverte que François. Des erreurs graves se répandent chez les chrétiens parce que les prêtres ne savent plus annoncer l'Évangile. Il faut donc vivre pauvrement, étudier la Bible, prier et transmettre la Bonne Nouvelle.

Avec François et Dominique, un nouveau style de moines apparaît. Ils vivent dans les villes et non dans des monastères retirés. Ils ne restent plus dans leurs cloîtres, mais vont prêcher à l'extérieur.

Les cathédrales

Pendant ce temps, des églises de plus en plus grandes et de plus en plus hautes voient le jour un peu partout en Europe. Ce sont les cathédrales. Il faut souvent plus de cent ans pour construire ces édifices gigantesques que nous admirons encore aujourd'hui.

Tous les habitants de la ville participent à leur construction, chacun à sa manière. Les riches marchands donnent de l'argent ; les artisans, comme les maçons ou les tailleurs de pierre, travaillent sur le chantier. L'art roman s'épanouit au XIe siècle. Au XIIe siècle, le style gothique le remplace.

Les voûtes sont plus élancées, les murs plus fins, les colonnes plus hautes, les vitraux colorés et majestueux. Les villes rivalisent entre elles pour avoir la cathédrale la plus haute et la plus belle. Le christianisme triomphe.

Dans les secousses du monde

La Réforme protestante

Mais malgré les efforts de François et de bien d'autres, ce triomphe est de courte durée. Les papes et les évêques vivent dans des palais superbes, au milieu d'un luxe inouï. Pendant ce temps, les prêtres des campagnes se débrouillent comme ils peuvent ; personne ne les forme pour qu'ils puissent accomplir leur tâche.

Martin Luther, un moine allemand, lance alors un mouvement de réforme. Il se révolte contre le pape et les évêques. Pour lui, on ne doit écouter que soi-même pour comprendre la Bible. Et aussi pour savoir comment se conduire en chrétien dans la vie de tous les jours. Luther est rejeté hors de l'Église par le pape en 1520.

C'est la deuxième grande division des chrétiens. Désormais à côté des catholiques et des orthodoxes, il y a les « protestants ». Ce mot vient du mot latin *protestare*, «affirmer» : les protestants affirment leur foi.

Le renouveau catholique

Au même moment, des catholiques essaient de transformer leur Église en lui restant fidèles. Un chevalier espagnol, Ignace de Loyola, décide d'abandonner les armes pour servir Dieu. Pour être un bon soldat, il a exercé son corps. Pour être un bon soldat du Christ, il doit exercer son âme. Ignace découvre dans la prière et la méditation une voie pour connaître la volonté de Dieu.

Ignace et ses amis font le serment de servir Dieu et l'Église. On les appellera les jésuites. À la mort d'Ignace, ils seront des milliers à parcourir le monde pour annoncer l'Évangile.

En Espagne toujours, Jean de la Croix et Thérèse d'Avila aident de nombreux moines et moniales à retrouver le sens de la pauvreté et de la prière. Avec eux, la vie chrétienne est à nouveau une aventure à tenter. Et cette aventure est tellement riche et prenante qu'elle mérite bien qu'on lui consacre une vie entière !

Moins de trente ans après la Réforme de Luther, le pape et des évêques se réunissent en un grand concile dans la ville de Trente. Ils entreprennent enfin la réforme de l'Église catholique. Les prêtres seront désormais formés dans des séminaires. Les chrétiens devront mener une vie droite et participer régulièrement à la messe.

Les grandes découvertes

Christophe Colomb débarque en Amérique en 1492. La conquête du Nouveau Monde commence. En Amérique du Sud, les missionnaires suivent les conquérants espagnols et portugais et parfois s'opposent à eux. Des missionnaires, comme Bartolomé de Las Casas, leur rappellent quelques vérités : les Indiens d'Amérique du Sud sont des hommes tout comme eux, ils ont droit au respect de leur terre et de leur civilisation.

Les chrétiens vont aux quatre coins du monde annoncer la Bonne Nouvelle. On trouve des missionnaires dans toute l'Asie. François-Xavier, un des tout premiers amis d'Ignace de Loyola, arrive jusqu'au Japon. Matteo Ricci va en Chine, où il est apprécié des nobles chinois et même de l'empereur.

La mission de la charité

En ce « siècle d'or », les pays d'Europe deviennent de plus en plus riches, mais tout le monde n'en profite pas.

Vincent de Paul est un simple prêtre. La misère qu'il découvre le bouleverse. Il décide de venir en aide aux pauvres et fait appel à la générosité de tous. Ce que l'on refuse à ceux qui sont dans la misère, on ne le refusera peut-être pas à lui, un prêtre...

Mais les besoins sont gigantesques. Vincent se bat sur tous les fronts : hôpitaux, orphelins, misère des campagnes, éducation. Il devient célèbre pour sa charité. Aumônier des galériens, il découvre leur terrible vie et exige qu'ils soient traités comme des hommes, malgré leurs crimes.

L'Église
et la Révolution française

En 1789, en France, le peuple se révolte contre la noblesse. C'est la révolution. L'Église est divisée : certains prêtres sont du côté de la révolution et du peuple ; d'autres refusent tout changement. Le gouvernement révolutionnaire n'accepte pas d'opposition et persécute les prêtres qui résistent.

Les persécutions cessent très vite, mais c'est une grande leçon pour les chrétiens. Désormais, ils savent qu'il ne faut plus compter sur la protection de l'État.

Pendant
la révolution industrielle

À la même époque on commence à se servir de machines et à bâtir des usines. On appelle cela la révolution industrielle. Elle accroît la richesse, mais crée aussi de grandes pauvretés : les ouvriers font des journées de douze heures, les enfants descendent extraire le charbon dans les mines et les familles logent dans des taudis.

Pour répondre à cette misère, les chrétiens fondent dans toute l'Europe des communautés nouvelles, comme les frères des écoles chrétiennes ou les oblats de Marie.

Éducation des enfants, soin des malades et des personnes seules, missions au-delà des mers sont les principales actions des chrétiens, sans oublier la prière et la contemplation.

Une foi simple
et fraternelle

À la fin du XIXe siècle, les hommes sont de plus en plus savants et puissants. C'est l'époque de la tour Eiffel, du train et de l'automobile. Alors des chrétiens rappellent à tous qu'aux yeux de Dieu, les hommes sont ses enfants et qu'ils sont tous frères.

Une toute jeune fille, Thérèse Martin, vit au couvent à Lisieux. Elle expérimente et décrit une voie « très sûre et très rapide » pour aller à Dieu : il faut s'abandonner à son amour comme un petit enfant. Thérèse n'a rien fait d'extraordinaire, mais elle a aimé Dieu et montré à tous comment l'aimer. Thérèse de Lisieux est proclamée sainte et devient très vite extrêmement populaire.

Charles de Foucauld, à la même époque, redécouvre la foi chrétienne au contact des musulmans. Il part vivre au Sahara, au milieu de nomades, les Touaregs. Il ne cherche pas à les convertir, mais il leur vient en aide ; et surtout il vit auprès d'eux, apprend leur langue, essaie de comprendre leurs coutumes. Il veut être le « frère universel » de ceux qu'il côtoie. Il est assassiné à Tamanrasset. Aujourd'hui encore il est vénéré comme un saint en pays musulman.

Et aujourd'hui

L'Église dans le monde moderne

Pendant la guerre de 1939-1945, les nazis déportent et font mourir des juifs par millions. Des chrétiens essaient de venir en aide aux victimes. C'est le cas d'un pasteur protestant, Roger Schutz. À Taizé, en Bourgogne, il aide de nombreux juifs à s'enfuir de la France occupée. Il ne peut pas supporter la haine entre les hommes et entre les chrétiens. Il réunit autour de lui des catholiques et des protestants. Après la guerre, des jeunes viennent rencontrer les « frères de Taizé ». Aujourd'hui, les rassemblements de Taizé ont lieu dans des grandes villes d'Europe et réunissent chaque fois près de cent mille personnes.

En 1962, l'Église se réunit en concile à Rome. C'est un événement très important : les évêques du monde entier veulent adapter l'Église au XXe siècle. Certaines affirmations de ce dernier concile sont très nouvelles : les chrétiens reconnaissent que Dieu peut se faire connaître à travers des religions autres que la religion chrétienne !

À Assise, la ville de saint François, le pape Jean-Paul II invite en 1986 tous les représentants des grandes religions du monde à prier avec lui pour la paix.

L'aventure continue

L'immense chantier de la misère et de l'amour des pauvres ne s'arrête jamais.

À l'autre bout du monde, en Inde, Mère Teresa se penche sur la détresse des exclus. Elle veut leur montrer qu'ils méritent d'être aimés comme chacun de nous.

Son premier geste est d'assister ceux qui sont seuls pour affronter le moment le plus important de la vie : la mort. Pour rejoindre les plus pauvres des pauvres, il faut ne rien posséder soi-même. Mère Teresa et ses sœurs, les missionnaires de la charité, vivent dans une pauvreté absolue.

Aux États-Unis, le pasteur Martin Luther King lutte pour l'égalité des Noirs. Il est assassiné en 1963. Mais les droits des Noirs sont peu à peu reconnus par la suite.

En France, depuis 1954, l'Abbé Pierre ne cesse d'interpeller la population et les gouvernants pour que le scandale des sans-abri et de la misère sous toutes ses formes s'arrête enfin.

Dans les pays de l'Est de l'Europe, les chrétiens subissent, sous les régimes communistes, la plus dure persécution de toute leur histoire.

En partie grâce au courage de certains chrétiens, grâce à la détermination du pape Jean-Paul II et à la solidarité du peuple polonais, le mur de Berlin tombe en 1989. Et ces régimes s'écroulent.

Mais l'histoire continue. Il y a toujours des guerres, de la misère et du désespoir. À la veille du 2000e anniversaire de la naissance du Christ, les chrétiens sont plus d'un milliard et contribuent, aujourd'hui comme hier, au progrès moral, matériel et spirituel de l'humanité.

Dans la même collection

Série « CÉLÉBRER »
Le baptême
Mon premier livre de messe

Série « CONNAÎTRE »
Les grandes religions du monde
Jésus, son pays, ses amis
Découvrir la Bible
Les saints
Les grandes fêtes chrétiennes *(à paraître)*

Série « DÉCOUVRIR ET PRIER »
Le Credo
Les psaumes
Mille grains de soleil
Des paroles de Jésus
Poèmes pour prier le Notre Père
Poèmes pour prier *(à paraître)*
Je vous salue Marie *(à paraître)*

© Bayard Editions, 1996
3, rue Bayard, 75008 Paris
ISBN 2 227 61 099 9
Tous les droits de reproduction, même partielle, interdits
Dépôt légal : septembre 1996
N° d'éditeur : 2630
Impression et reliure :
Pollina s.a., 85400 Luçon - n° 70288